Ejercicios de escritura

NIVEL INICIAL

Ejercicios de escritura

NIVEL INICIAL

Myriam Álvarez

Equipo de la Universidad de Alcalá
Dirección de la colección: María Ángeles Álvarez Martínez

Programación: María Ángeles Álvarez Martínez
Ana Blanco Canales
María Jesús Torrens Álvarez

Autora: Myriam Álvarez

Juan Ignacio Luca de Tena, 15 - 28027 Madrid

Depósito legal: M-31184-2001
ISBN: 84-667-0067-6
Printed in Spain
Imprime: Coimoff, S. A. Madrid

Equipo editorial
Edición: Milagros Bodas, Carolina Frías, Sonia de Pedro
Equipo técnico: Javier Cuéllar, Laura Llarena
Cubiertas: Taller Universo: M. Á. Pacheco, J. Serrano
Diseño de interiores: Ángel Guerrero

Expresamos nuestro agradecimiento al Vicerrectorado de Investigación de la Universidad de Alcalá, por el proyecto subvencionado "Frecuencia de uso y estudio del léxico con especial aplicación a la enseñanza del español como lengua extranjera" (II004/2000); y muy especialmente al Vicerrector de Extensión Universitaria de esta Universidad, profesor Antonio Alvar Ezquerra, por haber acogido con entusiasmo nuestro proyecto y habernos prestado desde sus comienzos su inestimable apoyo y ayuda.

Presentación

Se incluyen en los materiales complementarios del método SUEÑA, diseñado para la enseñanza del español a extranjeros desde el Nivel Inicial hasta el Nivel de Perfeccionamiento, estos *Ejercicios de escritura* –dentro de la colección **PRACTICA**–, obra concebida como material de refuerzo en el aula, pero que, además, puede servir como libro de autoaprendizaje, con independencia del método SUEÑA.

Este libro se divide en tres capítulos, donde se explican y comentan, de forma detallada, las características fundamentales de los distintos tipos de escrito; para ello, se recurre a una abundante ejemplificación, ya que para aprender a escribir es necesario conocer y analizar textos similares a aquellos que se quieren "construir". Además, se incluyen ejercicios con sus correspondientes soluciones. Es una excelente propuesta para adentrarse en el conocimiento de los textos y de la escritura, facetas por lo general no totalmente atendidas en la enseñanza del español para extranjeros.

Índice

Introducción

Escribir es una actividad que se aprende. Aprendemos a hablar y de igual manera aprendemos a escribir. En la sociedad en que vivimos, en el mundo de hoy, es necesario saber escribir. Por esta causa, escribir no es una ocupación complementaria en nuestra vida, sino una necesidad. Aprender a escribir es en la actualidad una obligación de todos.

La escritura es, por tanto, una técnica comunicativa, que logramos con una práctica constante. Escribir es una continuidad del habla, es, al fin y al cabo, el último paso del aprendizaje y conocimiento de una lengua.

Debemos redactar los textos con cuidado y atención. Para ello hemos de corregir una y otra vez lo que acabamos de escribir.

TEXTOS BREVES: Anuncios, Avisos, Notas, Mensajes

Los textos breves son los más sencillos. Se escriben para comunicar una sola idea y se redactan con mucha claridad para que el receptor los comprenda fácilmente.

A través de estos textos es posible:

Redactar

Un anuncio
Una nota
Una reclamación
Una felicitación
Una invitación
Un mensaje

Dar

Un recado
Un aviso
Un consejo
Permiso

Pedir

Disculpas
Información
Ayuda
Un favor
Permiso
Consejo

Expresar

Agradecimiento

A través de los textos breves se comunica una **información concreta.** Para ello se utilizan oraciones simples, separadas por signos de puntuación frecuentes, y se evita la complejidad sintáctica. La cortesía está presente en algunos casos.

Estos textos pueden darse en:

– contextos privados;

– contextos públicos.

A)

Los textos breves que se escriben en contextos **privados** son notas, avisos y recados que se utilizan en determinados ambientes. Son informaciones de carácter personal o familiar que van dirigidas a un destinatario conocido, pero que por diversas razones no está presente. El receptor es, sin embargo, una parte del mensaje con la que hay que contar.

Veamos algunos ejemplos:

Voy a regresar tarde esta noche, porque va a venir conmigo Carmen y tomaremos el tren de las 8.15. Vamos a necesitar sábanas y mantas para el dormitorio de invitados. También vamos a necesitar que encendáis la calefacción porque hace mucho frío. Por favor, dejad la comida en el frigorífico. Gracias.

Te dejo las llaves del coche sobre la mesa del salón. He tenido que ir a Madrid a buscar a mi hermana, que viene de Buenos Aires. No olvides echar gasolina al coche y comprar las bebidas para la fiesta del sábado. Besos.

Antonia

Teresa, por favor, ¿puedes recoger a los niños a la salida del colegio el jueves y llevarlos después a clase de inglés? Paco está en Valencia y yo tengo consulta con el médico. Llámame a casa mañana temprano.

Lola

No puedo ir contigo hoy de compras al centro. Ana se ha caído de la moto y se ha roto un tobillo. He estado en urgencias toda la mañana. Quedamos para el jueves en la cafetería. Llámame.

Elvira

Observa

- El emisor de los dos primeros textos quiere dar un recado a través de estas notas, pero también espera que el destinatario del mensaje realice alguna acción (poner gasolina, comprar bebidas, encender la calefacción). Por esta razón debe existir amabilidad y cortesía. Se observa en el empleo de "por favor", "gracias".
- La persona que escribe el tercer texto intenta, además, pedir ayuda ante una situación complicada (ni ella ni su marido pueden recoger a los hijos, por eso pide ayuda a una amiga).
- En el último ejemplo sencillamente se da un recado para retrasar —o anular— una cita entre amigas.

B)

Pero a veces estos textos breves aparecen en contextos **públicos,** sin un destinatario conocido, y transmiten una información muy importante. Se escriben porque ha habido algún cambio, por ejemplo, en el programa de un concierto, en la ruta de un autobús o en el recorrido de un tren, en la hora o lugar de celebración de algún espectáculo, etc. Son mensajes escritos en un **tono objetivo,** distante.

Al principio suelen ir, muy destacadas, las palabras *aviso, aviso al público, nota* o *anuncio,* que nos obligan a fijar la atención y a leer inmediatamente el texto.

En algún caso la **cortesía** debe ser un elemento esencial: es necesario no sólo informar de los posibles cambios, sino también pedir disculpas por los inconvenientes o las molestias que éstos puedan ocasionar al público. Entonces se emplean expresiones como:

– *rogamos disculpen las molestias;*

– *rogamos sepan comprender;*

– *rogamos disculpen los trastornos que pueda causar.*

Veamos algunos ejemplos:

1 AVISO

Por el mal tiempo, se suspende la celebración del torneo de ajedrez al aire libre prevista para esta tarde.

La Dirección de la Asociación Amigos del Ajedrez.

Ejemplo de **aviso importante:**

Se comunica a los usuarios que la línea 910, Santa Cruz-San Andrés, no va a prestar servicio durante la mañana del domingo 27 de abril, porque la vuelta ciclista va a pasar a lo largo de esta avenida.

El servicio se reanudará a partir de las 15.00 horas. Rogamos disculpen las molestias.

La Empresa

2 NOTA

A causa de una dolencia pasajera, la actriz María Gutiérrez no actuará en la función de esta noche. Gloria del Campo es la actriz que va a representar el papel principal.

3 ANUNCIO

Estudiante en Burgos:

Si te interesa la posibilidad de organizar un grupo para ir y venir a Burgos todos los días del próximo curso escolar, puedes ponerte en contacto con Joselito Pérez.

Teléfono: 047-433457, Solarana.

Observa

- En los textos del primer grupo **(contextos privados)** se utilizan la formas verbales de 1.ª y 2.ª persona, porque, al fin y al cabo, son un tipo de comunicación especial que tiene lugar en ausencia del destinatario.
- Los textos que se escriben en **contextos públicos** en 3.ª persona son distantes. La última frase, *rogamos disculpen las molestias,* que aparece en el ejemplo de aviso urgente, es una expresión de cortesía con la que se pretende atenuar la incomodidad y el enojo del público.
- En estos textos de carácter público se emplean con frecuencia el futuro *(no efectuará, se suspenderá)* o una perífrasis con el significado de futuro *(no va a actuar).*

A veces, mediante un aviso se nos exige cortésmente un comportamiento determinado. En ciertos lugares públicos existen **normas de conducta** que debemos conocer, para luego cumplir. Así, a la entrada de algunas iglesias puede leerse el siguiente aviso:

AVISO

Guarden silencio, por favor. Éste es un lugar de oración y recogimiento. No transiten ni paseen durante los oficios litúrgicos por las naves de la iglesia. No depositen flores en los altares. No hagan fotos durante la misa, ni cumplan promesas.

Observa la cortesía reflejada en la fórmula *por favor,* que debilita el mandato que parece dominar en este aviso. Es un aviso expresado en forma de orden, por eso la forma verbal que se utiliza es la de **imperativo,** y en este caso concreto en forma negativa.

Pero algunos avisos necesitan llamar la atención del público de forma rápida y eficaz, sobre todo porque puede existir algún peligro o riesgo inminente. Entonces es frecuente utilizar exclamaciones que alertan a los usuarios, e incluso no aparece el verbo en algunos casos:

Precaución. **Peligro de incendio**

¡ATENCIÓN! Escalera en mal estado

¡Ojo!, banco recién pintado

¡CUIDADO! Hay desprendimientos

¡ATENCIÓN! *Perros peligrosos*

Hay textos breves que se escriben cuando se adopta una actitud ante cierta realidad, como si se diera una respuesta ante determinadas circunstancias. A través de ellos puedes, por ejemplo:

- **disculparte** porque no vas a asistir a una cena, a una fiesta, a una cita con el médico, ...;
- **reclamar** por el retraso en la salida de un tren;
- **protestar** por las malas condiciones de un producto que has comprado;
- **mostrar tu agradecimiento;**
- **felicitar** a alguien por el éxito obtenido;

– **pedir ayuda** para resolver algún problema;

– **invitar** a alguien a una fiesta, a una excursión;

– **dar un consejo** o **reprender** a alguien;

– **recomendar** un comportamiento determinado en ciertos lugares públicos.

Vamos a ver algunos ejemplos (se destacan las palabras o expresiones que debes utilizar para cada caso).

1 PEDIR DISCULPAS

Siento mucho **no poder asistir el jueves a la cena que habéis organizado en el Hotel Princesa para celebrar el cumpleaños de la abuela, pero un viaje inesperado de negocios me obliga a estar fuera durante esa semana. Saludos.**

Tomás

Le pido disculpas. **No pude acudir a la cita que tenía en su consulta el martes día 14, ni pude llamarlo por teléfono, porque tuve un pequeño accidente en la autopista del norte.**

Lo lamento, **y le ruego que su enfermera me dé una nueva cita.**

2 HACER UNA RECLAMACIÓN

Los pasajeros del vuelo 098, Alicante-Santiago, que tenía prevista la salida a las 12.45 del pasado lunes y que, por causas desconocidas, salió a las 6.00 del día siguiente, **reclaman** a la compañía aérea daños y perjuicios por este injustificado retraso y **exigen** a dicha compañía que explique a través de un comunicado en la prensa la causa de este irregular comportamiento.

3 MOSTRAR AGRADECIMIENTO

Os **estoy muy agradecida** a ti y a tu familia por las vacaciones tan estupendas que he pasado en vuestra casa. He conocido la hermosa región de Florencia, pero sobre todo he comprendido que tengo una amiga de verdad. Besos.

Carmen

Le doy las gracias porque me ha ayudado con los exámenes y porque me ha dejado el material necesario. ***En gratitud a*** su generosa colaboración le envío estas flores.

Fernando

4 FELICITAR

El jefe del Departamento de Ventas y todos los trabajadores de esta sección felicitan al director de esta empresa por haber obtenido en las últimas elecciones los votos necesarios para ocupar un puesto en el Ayuntamiento de nuestra ciudad. *Reciba nuestra más sincera felicitación.*

¡TE DESEO UNA FELIZ NAVIDAD Y UN PRÓSPERO AÑO NUEVO! ESPERO QUE PASES ESTAS VACACIONES CON TU FAMILIA Y QUE COMAS MUCHO TURRÓN. **MIS MEJORES DESEOS** PARA EL PRÓXIMO AÑO 2002 PARA TI Y TODA TU FAMILIA.

5 PEDIR AYUDA

Me gustaría saber cuáles son los documentos que hay que presentar para la matrícula del curso de Astronomía que imparte esa Universidad en los meses de verano. Estoy trabajando y no puedo ir a preguntar estos datos en el horario de secretaría. ***¿Podrían*** enviarme ustedes por correo esta información o llamarme al teléfono 028-234567?

José Negrín

6 INVITAR

*El próximo viernes estrenan en los cines Ideal la última película de Woody Allen. Me han dicho que es muy buena y que no se parece a las anteriores, pues es casi un musical. **¿Te gustaría** ver esta película conmigo? **¿Quieres** que compre las entradas para el sábado por la noche? Puedes avisarme a casa, o llamarme a la oficina por las mañanas (teléfono 99-5663344, extensión 214). Saludos.*

Andrés

Te propongo salir de viaje este fin de semana. No te lo vas a creer. Mi agencia me ha ofrecido un maravilloso viaje a Florencia –tres días y dos noches– con todos los gastos pagados. ¿Te gusta el plan? ***Estás invitada*** a ser mi compañera de viaje. Espero tu respuesta. Saludos.

Federico

7 DAR UN CONSEJO

No debes ir a esa excursión. Se acercan los exámenes. ***Te aconsejo*** que aproveches el tiempo para estudiar y que te quedes en tu casa.

8 PEDIR CONSEJO

Se nos ha estropeado otra vez la nevera, y, además, llena de comida, porque acabamos de hacer la compra para toda esta semana. ***¿Te parece*** que llame al técnico o que compre una nueva? ***¿Qué me aconsejas?*** Espero tu respuesta. Llámame.

Marisa

9 PEDIR PERMISO

Los trabajadores de la factoría Nelka ***solicitan*** de la dirección de esta empresa salir a las 17 horas el próximo martes, día 23 de noviembre, para asistir a la concentración contra la subida del gasóleo que va a tener lugar en la Puerta del Sol a partir de las 18 horas.

10 CONCEDER PERMISO

El director del Colegio Nacional "Mío Cid" ***autoriza*** a los alumnos seleccionados para el torneo de ajedrez a salir del centro a media mañana. Además, ***ha dado su permiso*** para que el autobús del colegio traslade a este grupo de estudiantes a Briviesca, donde se va a celebrar la competición.

Fdo.: José Martínez

11 HACER RECOMENDACIONES

Se trata, en este ejemplo, de hacer recomendaciones para viajar en autobús.

- Si no es viajero habitual, **compruebe** el recorrido que desea hacer, línea, horario y frecuencia.
- El viajero **debe** comprar su billete en el momento de subir al autobús o mostrar su bonobús (si lo tiene).
- Los viajeros **deben** subir siempre por la puerta delantera del autobús, excepto los minusválidos con sillas de ruedas.
- **No se debe** distraer al conductor.
- Los niños menores de 5 años tienen derecho a viajar gratis, pero **deben** ir acompañados de una persona mayor que haya pagado su billete.
- Por respeto a los demás viajeros, en el interior del autobús **está prohibido:** fumar, beber, comer, cantar, viajar bajo los efectos del alcohol.
- Al bajar, **no cruce** por delante del autobús.

La Empresa

12 PROMETER ALGO

Te aseguro que no voy a volver tarde de la fiesta, y ***te doy mi palabra*** de que no voy a beber mucho. Mañana ***sin falta*** voy a traerte el trabajo terminado. ¡Ya verás! Cuídate.

Ramón

13 MANIFESTAR QUEJAS

¡No hay derecho!

Protestamos porque desde 1998 no nos han subido el sueldo. ***Presentamos nuestras quejas*** al director y ***manifestamos nuestro descontento*** ante esta desagradable situación. ***¡Es el colmo!*** Además, ***nos quejamos*** por la ampliación del horario hasta las 6 de la tarde. ¡No hay derecho!

FUNCIONARIOS DEL CENTRO PÚBLICO CHAMADE

Ejercicios

1 Escribe los siguientes textos breves:

- Un aviso de fuerte tormenta.
- Una nota para la asistenta.
- Una reclamación por mal funcionamiento de una impresora.
- Una invitación a una fiesta de cumpleaños.
- Una petición de ayuda para buscar un libro en la biblioteca.

2 Completa los textos con las expresiones adecuadas:

a)

Te .... por mi rápida marcha el jueves por la tarde. Me dolía la garganta y sentía escalofríos: tenía gripe. .... no haberte escuchado en la segunda parte del concierto. Saludos,

Antonia

b)

.... muchísimo la cariñosa felicitación que nos han enviado por el nacimiento de nuestra hija. Salvador y yo .... también nuestro .... por el bonito regalo que nos han mandado. Afectuosos saludos.

c)

.... a los alumnos de Astronomía que el examen del día 24 se .... en el aula A-4 y no en el aula de clase, como se había anunciado.

El Jefe de Departamento

d)

..........., ... en el frigorífico la lechuga, las naranjas, los tomates y la leche; ...... los vasos en el fregadero. Cierra todas las ventanas antes de salir y .... las llaves al portero. Besos,

Carmela

3 Relaciona las expresiones con el tipo de escrito en que suelen encontrarse:

Por favor, ¿puedes...?	**aviso**
¡Enhorabuena!	**permiso**
Sentimos mucho...	**invitación**
Le estoy muy agradecido...	**felicitación**
Queremos que nos devuelvan el dinero...	**agradecimiento**
Te propongo participar...	**ayuda**
Se suspende la corrida de toros...	**disculpa**
Se permite fumar en el tren.	**reclamación**

4 Señala a qué tipo de escrito pertenecen estos ejemplos:

a)

Se comunica al público que este parque se cierra a las 10 de la noche por motivos de seguridad. Los visitantes que permanezcan después de esa hora, deben salir por la puerta del sur en un tiempo no superior a los 20 minutos.

La Dirección

b)

Pertenecemos a la Asociación de Amigos del Arte y necesitamos tu ayuda para restaurar la catedral de León. Colabora con nosotros y tú también saldrás ganando.

c)

Va a llover. Yo llegaré tarde. Sube a la azotea a recoger la ropa. Tu hermano no puede salir porque no ha hecho los deberes. La comida está ya preparada. Calienta el potaje en el microondas. Espero que te guste. Besos.

Mamá

d)

La Biblioteca Nacional comunica a todos los usuarios que, con motivo de la instalación del marcador electrónico que avisa de la llegada de los libros, el Salón General de Lectura se va a cerrar los siguientes días:

Viernes 23 y sábado 24 de marzo
Viernes 30 y sábado 31 de marzo
Viernes 6 y sábado 7 de abril

Vamos a hacer todo lo posible para acortar el periodo de instalación.

Les rogamos, una vez más, que disculpen todas las molestias, al tiempo que agradecemos su colaboración y paciencia.

SERVICIO DE SALAS GENERALES

e)

Quiero expresarle mis más sinceras disculpas por el malentendido que ha ocasionado nuestro enfado del jueves pasado. Lamento profundamente todo lo sucedido. Sé que es usted el que tenía la razón y yo me comporté como un maleducado y fui descortés. Le suplico que me disculpe.

Federico

f)

Durante el concierto no se levanten de sus asientos.
Por favor, desconecten los teléfonos móviles y las alarmas de los relojes.
Los cantantes exigen silencio absoluto en la sala. No deben aplaudir hasta que el director de la orquesta entre en el escenario para dejar que los músicos afinen los instrumentos.

Muchas gracias por su colaboración.

g)

Lector: necesitamos tu ayuda. Queremos editar libros de los que te sientas orgulloso, libros interesantes, libros prácticos para ti y tu familia. Por eso, es esencial saber tus preferencias y gustos.

Por favor, lee con atención este cuestionario, contesta a las preguntas y envíanoslo cuanto antes (no necesita sellos).

Muchas gracias.

5 Lee los textos siguientes y contesta a las preguntas.

1.

Enrique, por favor, ¿puedes pasar por el colegio a buscar al niño? Habla con la profesora porque, al parecer, hay problemas con su comportamiento en clase y con las notas de historia. Luego hablamos.

Marina

a) ¿Qué tipo de escrito es?

b) Señala las expresiones que lo caracterizan.

c) Señala qué fórmulas y expresiones hay que cambiar y cómo deben cambiarse para convertirlo en un **consejo.**

2.

Se comunica a todo el personal de la fábrica de conservas El Riojano que el próximo viernes, 2 de octubre de 2001, se va a realizar un simulacro de incendio* a las 12 del mediodía. Se ruega, por tanto, que todos los operarios salgan del edificio rápidamente al sonar la alarma.

La Dirección

* Un *simulacro de incendio* es un ensayo (fingido) de salida de emergencia. Sirve para preparar a la gente, que debe salir de forma rápida en caso de un fuego real.

a) ¿Qué tipo de escrito es?

b) Señala las expresiones que lo caracterizan.

c) Señala qué fórmulas y expresiones hay que cambiar y cómo deben cambiarse para convertirlo en una **queja** y/o **reclamación** de los trabajadores de la fábrica.

6 Construye tres textos diferentes combinando y ordenando las frases de las tres columnas y di a qué tipo pertenecen.

A	B	C
Esta noche viene a cenar la madre de mi amigo	Hay tres días de luto oficial	Por favor, pónganse en contacto con nosotros
Pasamos a entregar su envío a las 10 horas	Déjame unos limones, un poco de azúcar y huevos	Se ruega asistir con lazos negros y pancartas
para preparar un postre rápidamente	una concentración en memoria de "El Piti"	para atendernos
Se convoca al pueblo de Sevilla	Lamentamos no haber encontrado a nadie	¿Puedes prestarme el mantel de cuadros,
Llamen al teléfono 928-232425	Te espero "como agua de mayo"	Se cortará el tráfico en las calles del centro
el que compraste en el hipermercado?	al paso del entierro	de 10 a 13 horas

....

....

....

....

....

....

....

....

....

....

....

....

....

....

7 Completa los espacios con la expresión adecuada y di a qué tipo de texto pertenece cada ejemplo:

a)

Por la presente, ... a todos los propietarios del párking Avda. de América a utilizar la salida general en los días de Navidad para facilitar el acceso a la autopista de Barcelona. Esta salida .... a partir del próximo 16 de diciembre a las 6 de la mañana.

La Dirección

b)

Quiero expresarte mi .... por ganar la plaza en la delegación de Oviedo. .... de ese nuevo éxito en tu carrera y .... por ti, porque puedes regresar de nuevo a tu tierra, como deseabas desde hace tanto tiempo.

Un abrazo,

Carmina

c)

.... por la molesta situación que ha tenido que soportar. No sabemos todavía dónde se ha producido el error que le ha dejado a usted sin dinero. .... que todo esto le haya pasado, y además en el extranjero. Me encargo personalmente de buscar al responsable de tan lamentable equivocación. Le repito ....

El Director del Banco

d)

Queremos expresarle .... por el comportamiento tan humano y desinteresado que usted ha manifestado con motivo del desafortunado accidente que ha sufrido nuestro hijo. Sabemos que su trabajo es atender a los enfermos, pero .... por todas las visitas que realizó fuera de su horario, por la atención con Pablo, y .... también todo lo que hizo para que lo admitieran en las sesiones de rehabilitación, que no podíamos pagar.

Andrea y Luis Lozano

SOLUCIONES A LOS EJERCICIOS

1 Posibles respuestas

UN AVISO DE FUERTE TORMENTA

El Instituto Nacional de Meteorología anuncia la presencia de una "gota fría" en el litoral cantábrico. Existe el peligro de fuertes lluvias y vientos huracanados. Por esta razón, la flota pesquera queda amarrada y los aeropuertos del norte permanecen cerrados. Las autoridades recomiendan no salir a la calle y cerrar puertas y ventanas.

UNA NOTA PARA LA ASISTENTA

Dolores: mira en la nevera y ve al hipermercado a comprar algo para la cena de esta noche. No te olvides de traer una caja de polvorones y el turrón* para los niños. Luego pasa por el colegio a buscar a los niños. Llévalos al parque y dales la merienda. El dinero está sobre la mesa del comedor.

UNA RECLAMACIÓN

El jueves por la tarde compré una impresora en su establecimiento de la calle Vargas, n.° 53. El empleado que me la vendió no quiso probarla. Y en el despacho no ha funcionado. Por esta razón le exijo que me la cambie por otra. De lo contrario, lo denunciaré en la oficina del consumidor.

UNA INVITACIÓN A UNA FIESTA DE CUMPLEAÑOS

Los señores de García Sandoval tienen el gusto de invitarle a Ud. a la fiesta que con motivo del cumpleaños de su hija Cristina se va a celebrar en la finca Los Zarzales el próximo 23 de julio. La cena comienza a las 9 de la noche, pero antes se va a ofrecer un espectáculo taurino en la Rosaleda. Se ruega confirmar asistencia.

UNA PETICIÓN DE AYUDA

Necesito leer una obra de Fernán Caballero para preparar mi examen de literatura española. Ayer estuve buscando en los ficheros y no encontré ninguna novela suya. Por fa-

* Los *polvorones* y el *turrón* son los dulces típicos de la Navidad en España.

vor, ¿puede decirme en qué estante están o cómo debo buscarlas? Muchas gracias.

2 Posibles respuestas

a) Te **pido disculpas** por mi rápida marcha el jueves por la tarde. Me dolía la garganta y sentía escalofríos: tenía gripe. **Lamento** no haberte escuchado en la segunda parte del concierto. Saludos, Antonia.

b) **Les agradezco** muchísimo la cariñosa felicitación que nos han enviado por el nacimiento de nuestra hija. Salvador y yo **queremos expresarles** también nuestro **agradecimiento** por el bonito regalo que nos han mandado. Afectuosos saludos.

c) **Se comunica** a los alumnos de Astronomía que el examen del día 24 se **va a realizar** en el aula A-4 y no en el aula de clase, como se había anunciado.

El Jefe de Departamento

d) **Por favor, mete** en el frigorífico la lechuga, las naranjas, los tomates y la leche; **deja** los vasos en el fregadero. Cierra todas las ventanas antes de salir y **dale** las llaves al portero. Besos, Carmela.

3

Por favor, ¿puedes...?	ayuda
¡Enhorabuena!	felicitación
Sentimos mucho...	disculpa
Le estoy muy agradecido...	agradecimiento
Queremos que nos devuelvan el dinero...	reclamación
Te propongo participar...	invitación
Se suspende la corrida de toros...	aviso
Se permite fumar en el tren.	permiso

4

a) Un aviso al público.
b) Una nota para pedir ayuda.
c) Un recado o mensaje.

d) Un aviso a los usuarios de una biblioteca.

e) Una disculpa.

f) Un aviso para pedir al público un comportamiento determinado.

g) Una petición de ayuda dirigida a un grupo (lectores).

5 1.

a) Una nota para pedir ayuda.

b) *por favor, ¿puedes...?*

c) Posible respuesta

Enrique, **debes** pasar por el colegio a buscar al niño. **Tienes que** hablar / **Es conveniente que** hables con la profesora porque, al parecer, hay problemas con su comportamiento en clase y con las notas de historia. Luego hablamos de este asunto. Voy a llegar tarde.

Marina

2.

a) Un aviso o información general.

b) *Se comunica, se va a realizar, se ruega,* son las expresiones que nos indican la naturaleza de este texto comunicativo. Se pretende conseguir una determinada conducta de los destinatarios (los trabajadores de la fábrica) para que abandonen el edificio en el momento en que suene la alarma.

c) Posible respuesta

Los trabajadores de la sección de empaquetado de la fábrica de conservas El Riojano **manifiestan su malestar y su queja** ante el mal funcionamiento de las puertas de emergencia. El simulacro del viernes pasado, 2 de octubre de 2001, ha demostrado que las condiciones del lugar de trabajo no son las adecuadas. Todo el personal de este sector **exige** a la empresa que cambie el sistema de apertura y cierre de las puertas para evitar males mayores.

6 Posibles respuestas

A

Por favor, déjame unos limones, un poco de azúcar y huevos para preparar un postre rápidamente. Esta noche viene a cenar la madre de mi amigo. ¿Puedes prestarme el mantel de cuadros, el que compraste en el hipermercado? No tardes. Te espero "como agua de mayo". Marina.

Una **nota para pedir ayuda.**

B

Se convoca al pueblo de Sevilla a una concentración en memoria de "El Piti". Se ruega asistir con lazos negros y pancartas. Se cortará el tráfico en las calles del centro, al paso del entierro. Hay tres días de luto.

Un **anuncio.**

C

Pasamos a entregar su envío a las 10 horas. Lamentamos no haber encontrado a nadie para atendernos. Por favor, pónganse en contacto con nosotros. Llamen al teléfono 928-232425, de 10 a 13 horas.

Un **aviso.**

7 Posibles respuestas

a)

Por la presente, **se autoriza** a todos los propietarios del parking Avda. de América a utilizar la salida general en los días de Navidad para facilitar el acceso a la autopista de Barcelona. Esta salida **estará permitida** a partir del próximo 16 de diciembre, a las 6 de la mañana.

La Dirección

Es un **anuncio** en el que **se concede un permiso.**

b)

Quiero expresarte mi **más sincera felicitación** por ganar la plaza en la Delegación de Oviedo. **Me alegro** mucho de ese nuevo éxito en tu carrera y **estoy muy contenta** por ti, porque puedes regresar de nuevo a tu tierra, como deseabas desde hace tanto tiempo. Un abrazo, Carmina.

Es una **felicitación.**

c)

Le pido disculpas por la molesta situación que ha tenido que soportar. No sabemos todavía dónde se ha producido el error que le ha dejado a usted sin dinero. **Lamento mucho** que todo esto le haya pasado, y además en el extranjero. Me encargo personalmente de buscar al responsable de tan lamentable equivocación. Le repito **mis disculpas.**

El Director del Banco

Es un texto para **pedir disculpas.**

d)

Queremos expresarle **nuestra gratitud** por el comportamiento tan humano y desinteresado que usted ha manifestado con motivo del desafortunado accidente que ha sufrido nuestro hijo. Sabemos que su trabajo es atender a los enfermos, pero **estamos muy agradecidos** por todas las visitas que realizó fuera de su horario, por la atención con Pablo, y **le agradecemos** también todo lo que hizo para que lo admitieran en las sesiones de rehabilitación, que no podíamos pagar.

Andrea y Luis Lozano

Es un texto que expresa **agradecimiento.**

2 LA NARRACIÓN

¿Qué es narrar?

Narrar es contar lo que ha sucedido, es relatar algún hecho que se ha producido en un tiempo pasado. Lo habitual es que se siga un orden lineal, esto es, *cronológico,* empezando por el principio hasta llegar al final o *desenlace* de los hechos.

¿Quién puede narrar?

Todos somos narradores de forma más o menos consciente. En la vida diaria solemos contar a la familia o los amigos los acontecimientos o acciones que nosotros mismos protagonizamos o de los que somos testigos. Al mismo tiempo, continuamente oímos relatar a los demás lo que les sucede y les respondemos con nuestras propias experiencias. Y es que la conversación tiene una base narrativa esencial.

El *tiempo* es el factor fundamental de toda narración, pues las acciones suceden siempre en un tiempo determinado.

Veamos un ejemplo:

El domingo por la mañana, como hacía mucho calor, fui a la playa. Estuve unos minutos tomando el sol y luego me di un baño. Nadé durante un buen rato, pero de pronto oí el chillido de una gaviota que venía hacia mí. Entonces me sumergí en el agua. La gaviota me dio un ligero golpe en la cabeza y yo tragué bastante agua. Salí a la superficie, respiré profundamente, pero vi que el ave otra vez venía chillando hacia mí. Me asusté y moví los brazos desesperadamente para pedir ayuda. La gaviota volvió a golpearme, esta vez más fuerte. Una mujer que paseaba por la playa vino a socorrerme, y entre las dos logramos hacer huir a la enfurecida gaviota.

Observa

- Los hechos que se narran en este texto tienen lugar en el pasado con respecto al momento, en que la narradora se sitúa. Por eso los verbos están en pretérito indefinido *(**fui** a la playa, **nadé**, **oí** el chillido, **me sumergí**, **tragué** agua, salí a la superficie, **me asusté**, ...)* que es el tiempo apropiado para la narración en pasado.
- La narración sigue un orden lineal, tal y como han sucedido los hechos.
- La muchacha protagonista de este pequeño episodio es la que cuenta lo que le ha sucedido. Por eso emplea la primera persona del singular.

Pero un narrador que haya permanecido fuera de lo sucedido también puede contar esta historia, aunque de forma diferente:

Una mujer paseaba por la playa el domingo muy temprano cuando, de repente, vio que una gaviota atacaba a una muchacha. Ésta iba nadando tranquilamente, cuando la gaviota se lanzó sobre ella y le dio un golpe en la cabeza. La mujer se paró asombrada, porque sabía que las gaviotas no son violentas. La mujer vio que la chica salió del agua a duras penas, y que respiraba con dificultad. La mujer observó con espanto que la gaviota volvía a golpear a la muchacha y que ésta movía los brazos para evitar un nuevo ataque o para pedir ayuda. Entonces se lanzó al mar para ayudarla. Entre las dos finalmente hicieron huir a la enfurecida gaviota.

Las acciones que se cuentan son las mismas, los personajes también. Sólo cambia el punto de vista del narrador. Puesto que se trata de un mero observador de la acción, ésta se cuenta con un tono objetivo, que se expresa mediante el empleo de la tercera persona del singular *(la mujer **vio** a la muchacha, la gaviota **se lanzó**, le **dio** un golpe en la cabeza, la muchacha **salió**).*

¿Dónde se sitúa la acción?

Todo relato se desarrolla en un tiempo determinado, como hemos dicho. Pero hay otro elemento fundamental en la narración y que responde a la pregunta:

¿dónde?

Es el *lugar* donde sucede la acción.

Para situar la acción correctamente debes utilizar:

- adverbios;
- complementos circunstanciales;

- todo tipo de expresiones que dan idea del lugar en donde ocurren los hechos.

Lee este relato en donde se narra la búsqueda del autor de un crimen:

> El capitán y sus hombres llegaron a Casa Zúñiga, en la provincia de Navarra, a eso del mediodía del martes. Dejaron los caballos a la sombra del álamo y allí los hombres se dispusieron a tomar un bocado y un descanso a la orilla del río, donde el cabo Marti se dio un chapuzón; abrieron las latas de sardina y de bonito y se hicieron unos bocadillos, cada uno con su pan.
>
> El capitán entró en el portal. De una habitación de arriba llegaba el eco sordo de una conversación de mujeres. Dio una voz y salió de nuevo a la era. Rodeó la casa, saltando la tapia de la huerta a sus espaldas, y las voces tan pronto se acercaban como se desvanecían. Cuando por la otra esquina regresó de nuevo a la era, al pasar junto al álamo vio las marcas de neumáticos, bastante recientes.
>
> Juan Benet, *El aire de un crimen.* Barcelona, RBA Editores, 1994 (texto adaptado).

El tiempo de la acción se expresa a través del pretérito indefinido: ***llegaron, dejaron*** *los caballos,* ***abrieron*** *unas latas,* ***entró, rodeó*** *la casa,* ***regresó,*** etc.

El lugar se manifiesta mediante:

- **complementos circunstanciales:** *en Navarra, a casa Zúñiga, a la orilla del río;*
- **adverbios:** *allí, arriba;* o bien,
- **oraciones subordinadas** (complejas) de lugar: *donde el cabo se dio un chapuzón.*

¿Qué podemos narrar?

Cualquier acción puede ser tema para una narración. Cualquier aventura pasada, e incluso una jornada de clase es, o puede convertirse, en materia de la narración. Sin embargo, la historia que se cuenta, el argumento, tiene que ser interesante y atractivo para obligar al lector a esperar el desenlace.

No es necesario que hayas vivido realmente lo que cuentas; puedes también inventarte acontecimientos o hechos. Veamos un ejemplo:

Mi sobrino y yo salimos aquella tarde a dar un paseo en bicicleta. Queríamos subir hasta las murallas de San Miguel, pero teníamos que dar una gran vuelta para no escalar la cuesta que lleva directamente hasta allí. Salimos después de comer, con la merienda en nuestras mochilas. Recorrimos unos kilómetros en silencio; el aire de los árboles del río nos daba en la cara. Subíamos poco a poco la montaña, y el calor iba aumentando. De pronto sentimos un ruido que venía de la tierra, como el sonido ronco de un tambor. Nos paramos asustados y mi sobrino quiso esconderse o volver, pero vimos allí, detrás de una gran piedra, que salía vapor de agua de un color amarillo, como de una olla a presión, y el ruido era cada vez mayor. La tierra tembló a nuestros pies y se abrió una grieta al lado de mi sobrino. Nos acercamos y asomamos para ver lo que había dentro. Allí apareció ante nuestros ojos asombrados una cueva muy antigua. Sus paredes y el techo eran de todos los colores –azul, verde, amarillo, ocre– y de formas muy variadas, pero sobre todo muy redondeadas y pulidas. El agua fue haciendo lentamente esta cueva, fue creando su forma actual. Mi sobrino y yo nos convertimos en los *gloriosos* descubridores en una tarde de verano.

¿Cómo debemos narrar una acción?

En la narración predomina la *acción.* Y la acción se expresa mediante verbos. Por tanto, debes emplear *verbos* para expresar el movimiento y el dinamismo que caracterizan la narración; sobre todo el pretérito indefinido, pero también el pretérito imperfecto, que puede detener la acción en el pasado. En el texto anterior se usan ambas formas verbales. Observa la diferencia:

salimos, recorrimos, *la tierra* ***tembló,*** *allí* ***apareció,***

son acciones terminadas, frente a: *el aire* ***nos daba*** *en la cara, las paredes* ***eran*** *de todos los colores,* que parecen extenderse en el tiempo.

Dos tipos de narración especiales: la carta y el diario

La **carta** es una forma de comunicación insustituible. Mediante la carta puedes llegar a "hablar" con la persona ausente, contarle lo que ha sucedido en tu entorno y preguntarle por la situación en la que se encuentra. Puedes escribir una carta a tu familia, a tus amigos, cuando estás de viaje, etc.

Te presentamos a continuación un modelo de carta de carácter familiar. La *fecha* y el *lugar* en que se escribe la carta van al comienzo. Luego va el *encabezamiento,* en donde aparece el nombre del destinatario del escrito (en este caso Lola, la amiga de la autora). A continuación, las noticias que realmente le comunica, y finalmente la *despedida.*

Perugia, 21 de febrero de 1999

Querida Lola:

Te prometí: ¡voy a escribirte! Y aquí estoy en el corazón de Italia, con el bolígrafo en la mano y el papel sobre mis rodillas. Tres semanas he pasado en esta ciudad divertida y alegre, en donde conviven gentes de muchos países y lenguas. Llegué a aquí para aprender italiano, pero hoy hablo más portugués que italiano, porque conocí a un simpático portugués que me ha enseñado su idioma. También hay muchos japoneses, pero su lengua es más difícil para nosotros.

La ciudad es preciosa, tiene unos arcos medievales hermosísimos, pero no nos dejaron pasar a contemplar sus monumentos porque estaban filmando una película. El domingo hicimos una excursión a Asís (*Asisi* en italiano), un pueblo muy bonito construido encima de una montaña. Vimos la iglesia con las pinturas de Giotto, y luego fuimos a comer espaguetis en un lugar típico.

Ahora escríbeme tú y dame noticias de todos, de Pepe, de Marisol, de tu hermano.

Un abrazo,

Teresa

Una vez que terminada la carta, debe meterse en un sobre donde se escribirán las "señas" (la *dirección*) de la persona a la que se le envía, y, por supuesto, las del *remitente* (la persona que la envía).

A continuación te mostramos la forma en que tienes que distribuir los datos en el sobre. En la parte delantera del sobre, a la derecha, hay que dejar el espacio para los sellos, y debajo hay que poner el nombre y la dirección del destinatario.

D.ª Lola Rodríguez Sanjuán
Avda. de los Toreros, 18, 1.º izda.
28005
MADRID

Los datos de la persona que escribe la carta constituyen el *remite* y se escriben en la cara posterior del sobre, o bien en la esquina superior izquierda de la parte delantera del sobre, precedida de la abreviatura "Rte.:" o sencillamente "R:". Es frecuente la utilización de abreviaturas en la escritura de los sobres: *rte. = remite, avda. = avenida, c/ = calle, izda. = izquierda, dcha. = derecha, Sr. = señor* y *Sra. = señora* (si se dirigen a personas poco conocidas o respetadas).

Veamos un ejemplo de los datos del remitente:

Rte.: Teresa Ríus. Via Carpetana, 123, 00012 Perugia. ITALIA

o bien

R: Teresa Ríus
Via Carpetana, 123
00012 Perugia
ITALIA

D.ª Lola Rodríguez Sanjuán
Avda. de los Toreros, 18, 1.º izda.
28005
MADRID

El **diario** es un texto que se va elaborando poco a poco, día a día. El autor es también protagonista de lo que se cuenta, pues es su vida, los acontecimientos vividos, lo que se convierte en tema del diario. Todos hemos sido en algún momento autores de un *diario íntimo,* que ocultamos a la mirada de los otros.

Así pues, el diario es un texto fragmentado en donde se van acumulando los episodios de la vida del autor, contados por él mismo.

Sus características son las siguientes:

- está contado en 1.ª persona del singular;
- es un relato de hechos pasados; por lo tanto, emplea el pretérito indefinido e imperfecto. También puede utilizarse el pretérito perfecto.
- se inicia cada episodio con la fecha del día correspondiente.

Veamos un ejemplo:

8 de agosto, en la noche

He regresado hoy de una excursión muy divertida. Todavía estoy cansado del viaje en barca que hemos hecho. Por la mañana el mar estuvo tranquilo y nos bañamos muy lejos de la orilla. Mis primos invitaron a dos amigos de Madrid que no han navegado nunca. Alquilamos una barca y allá nos fuimos. Por la tarde comenzó a soplar un viento muy fuerte y estos amigos tuvieron mucho miedo. He de confesar que yo también estaba aterrorizado: pánico es lo que sentía. A la vuelta el mar estaba rizado y la barca se movía como si fuera una nuez. El regreso fue difícil y los amigos madrileños sólo deseaban poner el pie en tierra pronto. ¡Me gustan estas emociones fuertes que me hacen salir de la rutina!

Observa

La **carta** y el **diario** poseen rasgos comunes: ambos son textos escritos en primera persona del singular y relatan acontecimientos o hechos pasados y, en la mayoría de los casos, verdaderos y vividos por el que escribe. Sin embargo, en la carta aparece un destinatario concreto y singularizado (la amiga en el ejemplo que hemos visto) y en el diario no existe tal destinatario: su autor no escribe para nadie en particular, escribe para sí mismo, para pensar en lo que le ha sucedido (el autor del pequeño relato del ejemplo quiere únicamente reflejar la experiencia de su viaje en barca).

3 LA DESCRIPCIÓN

¿Qué es una descripción?

La descripción es "una pintura hecha con palabras", esto es, un texto que refleja una parte de la realidad que parece quedar "congelada". Por esta razón, el factor tiempo deja de tener importancia en los textos descriptivos.

Mediante la descripción se intenta poner ante los ojos del lector el objeto, el paisaje, la persona, del que se describe. Para conseguirlo, tienes que estimular tu imaginación y avivar los sentidos, porque a veces tu descripción va a ser leída por alguien que no conoce lo que describes.

¿Qué podemos describir?

Cualquier persona, animal, lugar o cosa puede ser descrito, sea real o no. Podemos describir:

– Un objeto:

Es pequeño y redondo. Tiene un asa roja para poder agarrarlo. Su cuerpo es negro, de madera. Los números que marcan las horas son azules, como el mar en primavera. Éste es mi reloj despertador.

– Una persona:

Adrián es un niño de nueve años, que va a pasar los veranos a un pueblo lejano de Castilla. Llega con el buen el tiempo y se va antes de la llegada del frío. El pelo castaño y la blanca piel cambian pronto de color; como el trigo, su pelo se pone amarillo y su piel se tuesta, como el pan que se hace por esos pueblos. Adrián lleva unas gafas que parecen esconder sus enormes ojos negros. Es tímido y gracioso a la vez. Cuenta a todos sus vecinos historias verdaderas, como si contara un cuento.

– Un animal:

El búho es uno de los animales más graciosos que he visto. Es un ave nocturna. Sus grandes ojos, casi siempre negros, brillan como estrellas en la oscuridad. Siempre quieto, inmóvil, contempla la vida desde la rama del árbol. Es como un vigilante nocturno que duerme por el día, y conoce los secretos de la noche. Sus alas son cortas; su cuerpo pequeño se pega a la cabeza, como si fuera un todo, o parte de la rama en donde suele dormir y vigilar. Sus orejas son plumas que, rojas y negras, se levantan graciosas en su cabeza, formando un remolino.

– Un lugar:

La casa está construida a un lado de la plaza. Viven en ella un hombre delgado, de barba gris, una mujer anciana y una niña de cabellos dorados. Todo aquí parece tranquilo. Sobre las mesas de la casa se ven redondos ramos de rosas. Cuando sopla el aire, se ven en los balcones abiertos las cortinas que salen hacia fuera. En las paredes se ven unas grandes fotografías que representan catedrales, ciudades, jardines. Detrás de la casa hay un jardín lleno de altos árboles y hermosas flores, que cuida la mujer. A la cocina se llega desde el jardín por un pequeño sendero cubierto de cristales.

– Un paisaje:

Las montañas que dan al norte se llenan de nieve durante el invierno, pero en los meses de verano son como barcos oscuros detenidos en el espacio. Las casas de este pueblo se extienden a lo largo del río. De espaldas a las montañas, a lo lejos, muy lejos, se ve el mar.

¿Cómo debe ser una descripción?

Para describir un objeto es necesario, en primer lugar, atender a sus características más destacadas, esto es, a lo que se puede observar directamente. Estas características responden a las preguntas siguientes:

– ¿qué **forma** posee?,

– ¿de qué **color** es?,

– ¿cuál es su **tamaño?,**

– ¿de qué **materia** está hecho?,

– ¿qué **textura** tiene?,

– ¿qué **utilidad** tiene?

Para determinados objetos se pueden añadir otras preguntas:

– ¿qué **olor** posee?,

– ¿qué **sabor** tiene?, etc.

Los textos descriptivos más sencillos tienen en cuenta estas preguntas, que constituyen el esquema básico para describir un objeto cualquiera.

Vamos a hacer una descripción muy fácil y simple siguiendo las preguntas propuestas:

- Es redondo, un poco achatado.
- Es rojo chillón.
- Suele ser del tamaño de una pelota de tenis.
- Es carnoso y jugoso a la vez.
- Su superficie es brillante y tersa, muy lisa.
- Nos da una cantidad enorme de vitaminas, sobre todo de vitamina C.

Ésta es la descripción de un tomate, un objeto sencillo. Las seis oraciones, que podemos unir a través de la coordinación o de la yuxtaposición, son las respuestas a las preguntas planteadas anteriormente.

Pues bien, la descripción puede:

- seguir el orden indicado paso por paso, como hemos hecho antes, o bien
- seguir un orden nuevo, empezando por la textura del objeto para terminar por su tamaño, por ejemplo; además, no es necesario referirse a todas estas cualidades: se puede pasar por alto la que no tenga interés para nuestra descripción.

Observa ahora la descripción del tomate con todas las oraciones unidas por medio de coordinación y yuxtaposición:

El tomate es redondo, un poco achatado, y rojo chillón. Suele ser del tamaño de una pelota de tenis. Es carnoso y jugoso a la vez y su superficie es brillante y tersa, muy lisa. El tomate nos da una cantidad enorme de vitaminas, sobre todo de vitamina C.

Una vez que aprendemos a exponer las cualidades fundamentales de los objetos, la descripción tiene que ofrecer más detalles e intentar dar una visión subjetiva y más original. Para ello es necesario fijar nuestra atención en lo que contemplamos. Cada detalle que añadimos es como una pincelada en una pintura.

Vamos a intentar hacer una nueva descripción del tomate, más elaborada, en donde se dan más datos de este fruto, teniendo como punto de apoyo los textos anteriores:

Es el tomate un fruto casi redondo, como un círculo de fuego, algo achatado en su parte inferior y en la superior. De ésta sale un ramillete de hojas verdes, muy pequeñitas, que es el punto de unión con la mata. Su color rojo, tan vivo, es señal de una carne sabrosa y jugosa. Pasa del verde al rojo con facilidad, y muestra así su madurez. Su alto valor en vitaminas lo convierten en un alimento muy apreciado e indispensable en nuestras ensaladas.

¿Qué recursos debemos emplear en una descripción?

Los textos descriptivos son estáticos, porque no tienen en cuenta el paso del tiempo.

Por tanto:

- el *presente de indicativo* y el *pretérito imperfecto* son las formas verbales más frecuentes;
- los *adjetivos* son los elementos predominantes y fundamentales de cualquier descripción;
- el *participio* aparece también con bastante frecuencia, pues cumple la misma función que el adjetivo, al igual que los *sintagmas preposicionales.* Por ejemplo: *con cadenas = encadenados;*
- la *oración de relativo* es otro de los elementos que apoyan la elaboración de una buena descripción; funciona también como un adjetivo, puesto que expresa cualidades, a veces complejas, que no se pueden plasmar mediante el adjetivo;
- la *comparación* ayuda de igual forma a describir un objeto, un paisaje o a una persona.

¿Cómo podemos describir la realidad?

Si observas atentamente cualquier objeto, paisaje o lugar, y vas enumerando las características que lo definen, es decir, informas de cómo es, la descripción es **objetiva.**

Por ejemplo, si se trata de describir una vaca desde un punto de vista objetivo, podemos escribir el texto siguiente, con la ayuda incluso del diccionario o de alguna enciclopedia:

La vaca es la hembra del toro. Tiene la piel flexible, con muchas arrugas en el cuello. Su cabeza es pequeña, si la comparamos con el volumen de su cuerpo. Tiene unos cuernos más delgados que el toro, una boca grande y un rabo, grueso en su raíz, que va disminuyendo y está en continuo movimiento. La vaca debe comer heno, alfalfa y remolacha para que produzca buena leche.

Para algunas religiones, como la hindú, la vaca es un animal sagrado, y es muy apreciada en culturas como la egipcia. En la India es un pecado matar a este animal o comer su carne. En un antiguo poema hindú (el *Mahabharata*) se dice que el que mate o permita que se mate una vaca, el que coma carne de este animal, pasará en el infierno tantos años como pelos tenga el cuerpo de la vaca sacrificada. La razón que explica esta creencia es que con la leche, la mantequilla y el requesón de la vaca se mantienen todas las criaturas del Universo.

Pero también podemos describir las cosas que vemos a nuestro alrededor para expresar los sentimientos y emociones que esos objetos despiertan en nosotros. Entonces la descripción es **subjetiva** e **intimista.** En ambos casos, sin embargo, es necesario buscar un léxico preciso y adecuado.

Veamos un ejemplo de descripción subjetiva. En este caso, la descripción del espejo es casi un pretexto de la autora para recordar su vida pasada desde el día en que se casó, pues este objeto ha sido testigo del paso del tiempo:

> Lo último que colocamos fue el espejo. Era redondo, muy grande y tenía un marco de escayola dorada. Me lo habían regalado entre todas las amigas. Aquel espejo iba a reflejar mil veces mi cara desde entonces: caras tristes, alegres, temerosas, cansadas; con esa costumbre mía de pasar delante del espejo... El espejo todavía lo tengo pero ha ido perdiendo el azogue* con el tiempo y la imagen aparece un poco borrosa, oscurecida por puntitos y manchas.
>
> Josefina Aldecoa, *Historia de una maestra*.
> Barcelona, Anagrama, 1996 (texto adaptado).

* *Azogue* es la sustancia (mercurio) que se extiende en el cristal para que refleje la imagen.

Ejercicios

1 Describe en seis oraciones:

- Un toro.
- La fachada de la Universidad de Alcalá de Henares o de un edificio importante de tu país.
- La ropa que llevas.
- Un personaje famoso.

2 Narra en ocho o diez líneas:

- Un suceso inesperado (increíble y fantástico).
- Los últimos minutos de un partido de fútbol en el que juega tu equipo.
- La visita a un tablao flamenco.

3 Imagina que has viajado a España. Escribe una carta a tu familia en donde cuentes tu llegada y hables de tus impresiones sobre este país: el paisaje diferente, el aspecto de la ciudad que ves por primera vez, la forma de hablar de los españoles, sus costumbres...

4 Diferencia la parte descriptiva de la narrativa en el texto que te presentamos a continuación:

Una tarde de mucho calor, tres niños se escaparon de la escuela para bañarse en el río. Pasaron un par de horas chapoteando en el barro de la orilla y luego se fueron a vagar cerca del antiguo ingenio de azúcar* de los Peralta, que estaba cerrado desde hacía mucho tiempo. El lugar tenía fama de hechizado**, decían que se escuchaban ruidos de demonios y muchos habían visto brujas gritando. Entraron en las ruinas y recorrieron los amplios cuartos de anchas paredes de ladrillo y vigas rotas por la polilla, saltaron por encima de la hierba crecida en el suelo, de la basura, de las tejas podridas y los nidos de culebra. Se daban valor contándose bromas, y empujándose llegaron hasta la sala de molienda, una habitación enor-

* El *ingenio de azúcar* es el lugar en donde se extraía de la caña el azúcar a través de un complicado proceso.

** *Hechizado* quiere decir *embrujado*, es decir, el que sufre la acción directa de una brujería.

me abierta al cielo, con restos de máquinas despedazadas, donde la lluvia y el sol habían creado un jardín imposible y donde olieron el rastro penetrante de azúcar y sudor. De pronto oyeron con toda claridad un canto monstruoso. Trataron de retroceder, pero la atracción del horror fue mayor que el miedo y se quedaron escuchando hasta que la última nota se les clavó en la frente. Buscaron el origen de esos extraños sonidos y encontraron una pequeña trampa en el suelo. Desde allí se bajaba a una cueva donde encontraron a una criatura desnuda, con la piel pálida y doblada en muchos pliegues, que arrastraba unos mechones grises por el suelo, que lloraba por el ruido y la luz. Era Hortensia, casi ciega, con los dientes gastados y las piernas tan débiles que casi no podía tenerse en pie.

Isabel Allende, *Cuentos de Eva Luna*.
Barcelona, Plaza & Janés, 1993 (texto adaptado).

5 Lee el texto y contesta a continuación a las preguntas.

No puedo describir el entusiasmo que sentí en mi alma a la vuelta a Cádiz. En cuanto pude disponer de un rato de libertad, después de que Marcial quedó instalado en casa de su prima, **salí a las calles y corrí por ellas sin dirección fija, embriagado con la atmósfera de mi ciudad querida.** Después de una ausencia tan larga, lo que conocía tan bien me llamaba la atención como cosa nueva y muy hermosa. Todo era para mí simpático y risueño, los hombres y las mujeres, los niños, hasta las casas, pues mi imaginación juvenil observaba no sé qué de personal y animado; los veía como seres sensibles, y me parecía que gozaban del general contento por mi llegada, remedando en los balcones y las ventanas las facciones de un semblante alborozado. Mi alma veía reflejar en todo lo exterior su propia alegría. **Corría por las calles con gran ansiedad, como si en un minuto quisiera verlas todas. Recorrí las murallas y conté todos los barcos fondeados a la vista. Hablé con los marineros que hallé a mi paso. Llegué por fin a la Caleta y allí mi alegría no tuvo límites. Bajé a la playa y quitándome los zapatos, salté de roca en roca.** La movible superficie del agua despertaba en mi pecho sensaciones apasionadas. Sin poder resistir la tentación, y empujado por la misteriosa atracción del mar, cuyo elocuente rumor me ha parecido siempre una voz que pide dulcemente en el buen tiempo o llama con cólera en la tempestad, **me desnudé a toda prisa y me lancé en él como quien se arroja en los brazos de una persona querida.**

Benito Pérez Galdós, *Trafalgar*.
Madrid, Alianza Editorial, 1981.

a) ¿Qué modalidad domina en la parte del texto destacada en negrita?

b) ¿Cuáles son los fragmentos descriptivos más significativos?

c) ¿A qué tipo de descripción pertenecen?

d) ¿Qué función cumplen dentro del relato?

6 Lee el texto y haz después los ejercicios que te proponemos.

> La tarde está clara. La carretera serpentea, con curvas, en lo hondo de los barrancos; el río refleja la silueta de los chopos junto al camino. Las montañas cierran el horizonte. Arriba, en las cumbres, se ve una gran roca; más abajo, entre el espesor de los castaños, se extiende una pradera.

a) ¿Qué tipo de texto es? Justifica tu respuesta.

b) Añade un adjetivo calificativo (adecuado y pertinente) a los sustantivos subrayados.

c) Sustituye los adjetivos que has utilizado en el apartado anterior por otros más creativos y sugerentes.

d) Sustituye ahora esos adjetivos por oraciones que digan lo mismo.

e) Escribe ahora un nuevo texto utilizando algunos de los adjetivos y las oraciones que has empleado anteriormente.

7 Lee atentamente este texto. Observa que se trata de la descripción de una casa situada en un barrio madrileño. Es una descripción perfectamente organizada, puesto que sigue un recorrido que va desde el exterior hacia el interior de la casa.

La casa estaba entre la glorieta de Quevedo y los jardines del canal de Isabel II, en la esquina de una calle. La fachada estaba cubierta en parte por una enredadera. En el piso bajo se veía un ventanal. La puerta se hallaba adornada con una marquesina de cristales y a los lados dos estatuas. En el piso bajo había una cocina, un comedor y un salón. El salón era elegante e irregular; tenía cuatro paredes y el suelo estaba hecho de baldosas. El techo era lo más lujoso de la sala: tenía alrededor una moldura interrumpida por medallones con cabezas de guerreros y guirnaldas* de flores y frutos. Desde la azotea se veía una plaza.

Pío Baroja, *Las noches del Buen Retiro.*
Madrid, Espasa Calpe, 1982 (texto adaptado).

Amplía esta descripción con nuevos datos, que deben mantener el carácter de lo que se describe: una casa por la que ha pasado el tiempo. Para ello, añade adjetivos (u oraciones) a los sustantivos subrayados que sean adecuados al ambiente que el autor quiso reflejar.

8 Lee esta pequeña historia sin final. Despues, imagina y redacta en diez líneas dos formas de acabarla.

Después, el marqués contó la historia de un banquero de París, al que conoció en un sanatorio. Este banquero era muy rico. Al curarse de la manía de la morfina, apareció como un invertido. Se había revelado como un homosexual. Entonces, en una casa de citas regentada por una señora de gran apellido, alquiló un salón y lo amuebló al estilo oriental. Allí el banquero se disfrazaba, se vestía de mujer, se pintaba y se ponía peluca. A veces salía en coche e iba tan transformado que no lo conocían ni sus amigos. El banquero llevaba una doble vida. Una noche, un turco salió de aquella habitación oriental y dijo a la dueña de la casa:

–El banquero se ha puesto enfermo. Voy a buscar un médico...

Pío Baroja, *Las noches del Buen Retiro.*
Madrid, Espasa Calpe, 1982 (texto adaptado).

* Corona abierta de flores y/o frutas que sirve de adorno.

9 Completa el texto con los adjetivos adecuados. Recuerda que hay muchas posibilidades diferentes de las del texto original.

–Ahí sube doña Adriana –dijo su ayudante.

Su silueta estaba medio .... en la luz .... y ...., a lo lejos. El sol reverberaba en los tejados de pizarra, allá abajo, y el campamento parecía un .... espejo. Sí era la bruja. Llegó jadeando ligeramente y respondió al saludo del capitán con un tono ...., sin mover los labios. Su pecho grande, ..., subía y bajaba armonioso y sus .... ojos los observaban sin pestañear. No había asomo de inquietud en esa mirada ...., ..., ... Tenía una cara .... y avinagrada y una boca como una cicatriz. La señora Adriana resopló y se dejó caer sobre una piedra .... Tenía unos pelos ...., sin canas, ... y sujetos en su nuca con una cinta de colores, como las que los indios amarraban en las orejas de las llamas*.

Mario Vargas Llosa, *Lituma en los Andes*.
Barcelona, Planeta, 1997 (texto adaptado).

- Realiza ahora el mismo ejercicio, pero empleando el adjetivo antónimo –el contrario– del que has empleado en el punto anterior (es posible que tengas que cambiar algún otro elemento de las oraciones para que el texto tenga sentido).

10 Reconstruye el orden original de estos fragmentos de dos textos distintos. Presta atención a las formas verbales o cualquier otro recurso empleado.

a)

a los treinta empiezas a pensar;

Cuando llegas a los veinticinco, añoras lo que te fue indiferente a los veinte;

y a los cuarenta el corazón se te encoge,

* Animal doméstico de América del Sur. Es un mamífero rumiante.

y miras con envidia las parejas de enamorados que pasan bajo tu ventana.

a los treinta y cinco ya no piensas, lloras,

Y a los cuarenta y cinco, que son los que yo tengo, te ocultas en la cocina a hacer tartas de manzanas para las sobrinas que no deseas que sigan el mismo ejemplo que tú.

Eso lo decimos todas las mujeres a los veinte años, ¿sabes?

b)

Almorzaron allí mismo, y volvieron al atardecer sin haber pescado nada.

Bernal llevó dos sillitas plegables,

Y Matías fue.

Una rana, un pájaro, una nube.

Bernal vive solo, y algún domingo sale a pescar por los pantanos de los alrededores de Madrid.

y a mirar el agua y a hablar ocasionalmente de las cosas que veían.

Y Matías dijo: "Está bien", porque es verdad que le había parecido un modo muy agradable de pasar el domingo.

y los dos se sentaron a fumar

Un día hace años, Bernal le dijo: "Vente conmigo, ya verás cómo se pasa bien".

montó las cañas

"¿Qué te ha parecido?", le preguntó Bernal.

11 Los signos de puntuación son elementos indispensables de todo discurso. Pon los signos necesarios en el siguiente texto:

Le pregunté si deseaba algo pero el hombre se había quitado de la ventana dejé el periódico sobre la mesa y me dirigí a la casa el hombre había gritado que subiera y eso era lo que deseaba comencé a subir la escalera la estaba subiendo y pensaba en mis cosas es lo que un hombre debe hacer siempre pensar en sus cosas y no importa que se trate de cosas absurdas para otros si son las cosas de uno son cosas interesantes yo señor ya me convencí de que no soy muy listo me lo decía mi padre aunque mi padre era barrendero municipal y a lo mejor no tenía mucha formación para decir aquello era lo que decía mi padre todas las mañanas hasta que un día fiché* por el Real Madrid... y se acabaron todos mis problemas.

Antonio Prieto, *Tres pisadas de hombre*. Barcelona, Planeta, 1976 (texto adaptado).

12 Escribe los verbos entre paréntesis en la forma verbal adecuada:

A las nueve en punto de la mañana del sábado *(bajar)* .... al portal. Alejandro me *(esperar)* ...., sentado .... al volante de su coche y *(hojear)* .... el periódico. *(Hacer)* .... una mañana soleada y limpia y no *(haber)* .... apenas gente por la calle. *(Dejar, él)* .... mi bolsa en el maletero y *(encender, él)* .... el motor. *(Ir, nosotros)* .... a recoger al tío Jorge, que *(pasar)* .... la noche en un hotel que *(estar)* .... acorde con el proceso irreparable de ruina que *(preocupar)* .... a mi madre. En el pequeño y oscuro vestíbulo del hotel, en una bocacalle de la Gran Vía, nos *(esperar)* .... mi tío, sentado en una butaca tapizada de plástico color verde. La chica de la recepción *(estar)* .... hablando con él. Los dos *(reírse)* .... Me *(saludar, él)* ...., *(agarrar, él)* .... su bolsa y *(despedirse, él)* .... de la recepcionista con una inclinación caballerosa de cabeza, deseándole un fin de semana agradable.

El tío Jorge *(ir)* .... vestido con ropa de sport, vieja ropa de sport, algo invernal: pantalón de pana, camisa de franela, chaleco de lana gruesa y zapatos

* *Fichar* significa ser admitido por un club deportivo para jugar en el mismo.

de ante. Su fidelidad a los cánones de la moda de su tiempo *(ser)* .... inquebrantable y me *(conmover)* .... Me *(preguntar)* .... si con ese atuendo y esos modales no *(resultar)* .... una figura un poco ridícula, incluso patética, pero la chica de la recepción lo *(mirar)* .... sin ninguna ironía. Tal vez mi madre *(tener)* .... razón, tal vez *(ser)* .... todavía un hombre atractivo.

Soledad Puértolas, *Queda la noche*. Barcelona, Anagrama, 1998 (texto adaptado).

13 Imagina que llegas a una zona residencial y tranquila, donde vas a pasar unas vacaciones. Describe todo lo que ves a tu llegada: desde los edificios, los paseos, la gente que te encuentras y su actitud, hasta los detalles más pequeños.

Fíjate bien en las expresiones de lugar –preposiciones, adverbios– que sitúan los objetos en el espacio, y en los adjetivos que debes utilizar.

■ Luego, subraya en la descripción que escribas las expresiones que indican situación espacial.

14 Imagina que has sido testigo de un robo de joyas, pero no sabes qué hacer: ir a la policía o contárselo a alguien antes. Relata en una página de tu diario íntimo lo sucedido y expresa tus dudas.

15 Di a qué tipo de texto corresponde cada uno de los fragmentos siguientes:

a)

El dado es un pequeño cubo marcado en sus caras con puntos negros en número del 1 al 6. Es blanco, por lo que los puntos negros destacan aún más. Es un elemento indispensable en la mayor parte de los juegos de azar. Suelen emplearse dos y se colocan en un recipiente cilíndrico, abierto por un extremo, llamado cubilete; luego se agitan y se lanzan sobre la mesa de juego. El juego de dados se conoce desde tiempos remotos. Se han encontrado dados exactamente iguales a los actuales en las antiguas tumbas de los egipcios. Los romanos también utilizaron los dados. Consistían, como ahora, en pequeños cubos en cuyas caras aparecía señalado el número, de tal manera que los de los lados opuestos sumasen 7: si era 6 la cifra superior, la contraria era 1, si era 5, la inferior era 2, y si era 4, entonces la inferior era 3.

b)

Alcalá de Henares, 2 de febrero de 2000

Querida Marta:

Vuelvo a escribirte antes de recibir tu respuesta para contarte el episodio que me ocurrió esta mañana. Todavía no se me ha pasado el susto, pues de verdad te digo que jamás en mi vida había estado tan cerca de un ataque de nervios.

Verás: como te decía, mi apartamento tiene una pequeña terraza, que da a una plaza pequeñita y donde se encuentra una iglesia de ladrillo y tejado de pizarra. Pues bien, esta mañana me despertó un ruido extraño, como de revoloteo de pájaros en mi terraza. Me levanté y corrí la cortina... y allí estaba, no un pájaro o una paloma, sino una cigüeña, sí, no te miento, una cigüeña enorme, de casi un metro de altura, que intentaba volar, pero no podía. Mi grito despertó a todos los vecinos, que acudieron a ver lo que pasaba. En pocos minutos, todo el edificio se agolpaba en mi dormitorio para ver de cerca a esta ave que adorna, inmóvil y majestuosa, los edificios de esta noble ciudad. No puedes ni imaginarte qué largo y flexible es su cuello. El colorido de su plumaje blanco y negro es nítido y destaca (...)

más al lado del rojo de las patas y el pico. Cuando intentaba volar, observé que sus alas son anchas y largas, y que de sus extremos salen plumas, como dedos que se mueven armoniosamente.

Vinieron del Ayuntamiento para llevársela y curarle una pata, que debió de lastimarse con un cable de la luz. Mis vecinos, acostumbrados a su presencia en la ciudad, me contaron que son los animales más fieles que existen, pues cuando crían, buscan una pareja a la que nunca abandonan. Y si su pareja muere, pronto también mueren ellas "de tristeza", según dice la gente de este lugar.

Escríbeme, Marta

Besos de María

c)

Se ha asomado una cigüeña...

Alcalá de Henares, Carlos Solís

Ayer por la mañana una cigüeña de gran estatura amaneció en la terraza de un moderno edificio que da a la plaza de Las Comendadoras. Al parecer, debió de tropezar con algún cable eléctrico que le impidió remontar vuelo y cayó en un balcón cercano a la torre de la iglesia, en donde anida habitualmente. El desconcierto y la alarma de los vecinos dificultó las tareas de rescate que el Servicio de Protección de Animales de este Ayuntamiento emprendió con bastante rapidez. Y es que, a pesar de estar habituados a convivir con las cigüeñas, nunca hemos contemplado tan de cerca estas imponentes aves que cruzan a diario nuestro cielo. Los ecologistas, que se presentaron inmediatamente en el lugar de los hechos, aprovecharon para solicitar una mayor protección y atención a estos y otros animales. La inquilina del apartamento en cuya terraza se encontró la cigüeña es estudiante de filología española y nos hizo recordar la imagen que Antonio Machado había descrito hace ya algunas décadas: la cigüeña asomada, no al campanario, sino al moderno balcón de hierro y cemento.

d)

Acaba de salir de su casa, que forma parte de un enjambre de barracas situadas bajo la última revuelta, en una plataforma colgada sobre la ciudad: desde la carretera, al acercarse, hay una sensación de caminar sobre el abismo hasta descubrir las casitas de ladrillo. Sus techos de uralita* empastados de alquitrán están sembrados de piedras. Pintadas con tiernos colores, su altura no sobrepasa la cabeza de un hombre y están dispuestas en hileras que apuntan hacia el mar, formando callecitas de tierra limpia, barrida y regada con esmero. Algunas tienen pequeños patios donde crece una parra. Abajo, al fondo, la ciudad se estira hacia la inmensidad del Mediterráneo. Bajo brumas y rumores sordos de industrial fatiga, asoman las botellas grises de la Sagrada Familia, las torres del hospital de San Pablo y, más lejos, las negras agujas de la Catedral. El puerto y el horizonte del mar cierran el borroso panorama, y las torres metálicas del trasbordador, la silueta agresiva del Montjuich.

Juan Marsé, *Últimas tardes con Teresa.*
Barcelona, Seix Barral, 1979 (texto adaptado).

e)

Al sonar las campanadas del reloj del pasillo, se despertó de repente; cerró la ventana, de donde entraba un intenso olor a calamares fritos de la tasca de la planta baja; dobló los paños y las toallas, salió con un montón de platos y los dejó sobre la mesa del comedor; luego guardó los cubiertos, el mantel y el pan que sobró en un aparador; apagó el horno, salió de la cocina y fue a sentarse en la mecedora del balcón. Para ella la vida era una lucha callada y penosa que nadie reconocía.**

* *Uralita* es un material de bajo coste empleado en la construcción.

** Bar típico de muchos lugares de España.

SOLUCIONES A LOS EJERCICIOS

1 Respuesta libre.

2 Posibles respuestas

UN SUCESO INESPERADO

Con su tabla recién comprada se metió en el mar aquella mañana temprano. Las olas lo dejaban deslizarse muy bien y corrió paralelo a la costa un buen rato. Se dio cuenta de pronto de que el sol calentaba demasiado y de que ya no veía la playa, ni los altos edificios de Málaga. Se encontraba en alta mar, perdido y llevado sobre su tabla a la velocidad que aquella brisa, cada vez más fuerte, lo empujaba. Un barco griego vio a aquel atrevido surfista y fue rescatado milagrosamente muy cerca del Estrecho de Gibraltar.

LOS ÚLTIMOS MINUTOS DE UN PARTIDO DE FÚTBOL

Viajó durante toda la noche en un autobús incómodo y frío para ver la derrota de su equipo... No podía comprender cómo aquella pelota entró como una flecha en la portería. Portillo estaba atento, en tensión, pero el jugador de los contrarios cruzó el campo con el balón, mientras todos parecían saborear la victoria adelantada y, ¡zas!, apuntó con acierto. El balón entró en el maldito cuadrado. Pudo saltar, rebotar, pero no, entró rápido y veloz. El silencio fue mayor, instantáneo, luego el estallido de los contrarios surgió sin prisas en las gargantas de los que parecía que no tenían que gritar esta vez. El autobús ahora estaba aún más frío.

LA VISITA A UN TABLAO FLAMENCO

La alegría irrumpe en un espacio muy pequeño. La música suena envolviéndonos. Todos quedamos asombrados del espectáculo que se desarrolla ante nuestros ojos. Hombres y mujeres con una gran seriedad mueven sus cuerpos al ritmo trepidante de la guitarra y de las palmas que otro grupo, sentado detrás de los bailarines, no termina de tocar. Las mujeres, con trajes largos de volantes y claveles en el pelo, danzan rodeando al hombre que, vestido de negro y con sombrero cordobés, las persigue, las abandona, juega con ellas. Hombres y mujeres taconean en las tablas del escenario, llevando ellos también el ritmo de la música. Me gusta mucho el baile flamenco. ¡Olé!

3 Respuesta libre.

4 La parte descriptiva del texto aparece en negrita, el resto puede considerarse eminentemente narrativo.

Una tarde de mucho calor, tres niños se escaparon de la escuela para bañarse en el río. Pasaron un par de horas chapoteando en el barro de la orilla y luego se fueron a vagar cerca del antiguo ingenio de azúcar de los Peralta, **que estaba cerrado desde hacía mucho tiempo. El lugar tenía fama de hechizado, decían que se escuchaban ruidos de demonios y muchos habían visto brujas gritando.** Entraron en las ruinas y recorrieron los amplios cuartos de anchas paredes de ladrillo y vigas rotas por la polilla, saltaron por encima de la hierba crecida en el suelo, de la basura, de las tejas podridas y los nidos de culebra. Se daban valor contándose bromas, y empujándose llegaron hasta la sala de molienda, **una habitación enorme abierta al cielo, con restos de máquinas despedazadas, donde la lluvia y el sol habían creado un jardín imposible** y donde olieron el rastro penetrante de azúcar y sudor. De pronto oyeron con toda claridad un canto monstruoso. Trataron de retroceder, pero la atracción del horror fue mayor que el miedo y se quedaron escuchando hasta que la última nota se les clavó en la frente. Buscaron el origen de esos extraños sonidos y encontraron una pequeña trampa en el suelo. Desde allí se bajaba a una cueva donde encontraron a **una criatura desnuda, con la piel pálida y doblada en muchos pliegues, que arrastraba unos mechones grises por el suelo, que lloraba por el ruido y la luz. Era Hortensia, casi ciega, con los dientes gastados y las piernas tan débiles que casi no podía tenerse en pie.**

5 a) La parte destacada del texto es eminentemente narrativa, porque se refiere a acciones que suceden en un tiempo. El personaje cuenta la alegría que sintió al llegar a su ciudad natal, Cádiz. El encuentro con las calles conocidas, el ambiente y, sobre todo, su encuentro con el mar, le producen un inmenso placer. Así, los verbos en pretérito indefinido –llegué, bajé, salté, me desnudé, me lancé– expresan acciones que han sucedido una tras otra en un tiempo relativamente breve.

b) El fragmento más significativo es tal vez el que comienza así: "Todo era para mí simpático y risueño", en el que el autor describe lo que va viendo en su recorrido por la ciudad.

c) Es una descripción subjetiva e intimista, pues el personaje refleja su estado de ánimo, de gran alegría, en las calles de Cádiz, en sus gentes y casas. Incluso las ventanas y balcones de estas casas expresan esta alegría, es decir, participan del sentimiento del autor, cuando afirma: "remedando en los balcones y las ventanas las facciones de un semblante alborozado". Las fachadas de las casas están, por tanto, personificadas, porque "sienten" como los humanos.

d) Los fragmentos descriptivos ayudan a situar los hechos que se narran, que se desarrollan en un entorno urbano y junto al mar.

6 a) Se trata de la descripción de un paisaje de la naturaleza. Es una descripción objetiva, porque muestra la realidad con precisión, con un orden riguroso. Sabemos que se trata de una descripción porque se usa el presente de indicativo, lo que quiere decir que el factor tiempo no tiene importancia, al contrario de lo que ocurre en la narración, y también porque es un texto estático, carece de acción.

b) Posible respuesta

La tarde es clara. La carretera **comarcal** serpentea, con curvas **muy cerradas,** en lo hondo de los **profundos** barrancos; el río refleja la silueta de los **verdes** chopos junto al camino. Las **altas** montañas cierran el horizonte. Arriba, en las **lejanas** cumbres, se ve una gran roca; más abajo, entre el **denso** espesor de los castaños, se extiende una **amplia** pradera.

c) Posible respuesta

La tarde está clara. La **borrosa** carretera serpentea, con curvas **peligrosas y excitantes,** en lo hondo de los **abruptos** barrancos; el río refleja la silueta de los **afilados** chopos junto al camino. Las montañas **rocosas y escarpadas** cierran el horizonte. Arriba, en las cumbres **borrascosas,** se ve una gran roca; más abajo, entre el espesor **otoñal** de los castaños, se extiende una pradera **escondida y acogedora.**

d) Posible respuesta

La tarde está clara. La carretera **que conduce al cementerio** serpentea, con curvas **que producen temor,** en lo hondo de los barrancos **que ha erosionado la nieve;** el río refleja la silueta de los chopos **que se elevan** junto al camino. Las montañas **que parecen muy oscuras,** cierran el horizonte. Arriba, en las cumbres **que vigilan nuestros pasos,** se ve una gran roca; más abajo, entre el espesor **que ya es casi amarillo** de los castaños, se extiende una pradera **que pocos paisanos conocen.**

e) Respuesta libre.

7 Sólo algunos de los adjetivos y sintagmas utilizados pertenecen al texto original escrito por Pío Baroja.

Posible respuesta

La casa está entre la glorieta de Quevedo y los jardines del canal de Isabel II, en la esquina de una calle **estrecha,**

que acaban de abrir. La fachada, **de ladrillo rojo y estilo neogótico,** estaba cubierta en parte por una enredadera **ya marchita, ennegrecida por el otoño.** En el piso bajo se veía un ventanal **alto, demasiado grande, con cristales rotos y compuestos con trozos de papel.** La puerta se hallaba adornada con una marquesina de cristales y a los lados dos estatuas **de mármol, envejecidas y sucias.** En el piso bajo había una cocina, un comedor y un salón **amplio, iluminado por el ventanal que se ve desde la calle.** El salón era elegante e irregular; tenía cuatro paredes **tapizadas con una tela a cuadros, rota ya en varias partes y llena de agujeros de clavos, por donde salía la cal,** y el suelo estaba hecho de baldosas **blancas y negras, que formaban dibujos.** El techo era lo más lujoso de la sala: tenía alrededor una moldura interrumpida por medallones con cabezas de guerreros y guirnaldas de flores y frutos. Desde la azotea, **de ladrillo rojo, que daba al patio de atrás,** se veía una plaza **con casas bajas de una puerta y una sola ventana y un caserón en ruinas, refugio de mendigos.**

Fíjate en el sintagma *refugio de mendigos.* Es una estructura que se llama **aposición,** y completa o explica alguna característica del sustantivo sobre el que incide. Cumple casi la misma función que el adjetivo. En este caso concreto añade un rasgo propio de ese caserón en ruinas: el de ser lugar de refugio para los mendigos.

8 Respuesta libre.

9 El texto original es así:

–Ahí sube doña Adriana –dijo su ayudante.

Su silueta estaba medio **difuminada** en la luz **blanca** y **brillante,** a lo lejos. El sol reverberaba en los tejados de pizarra, allá abajo, y el campamento parecía un **fragmentado** espejo. Sí era la bruja. Llegó jadeando ligeramente y respondió al saludo del capitán con un tono **seco,** sin mover los labios. Su pecho grande, **maternal,** subía y bajaba armonioso y sus **grandes** ojos lo observaban sin pestañear. No había asomo de inquietud en esa mirada **fija, intensa, penetrante.** Tenía una cara **redonda** y avinagrada y una boca como una cicatriz. La señora Adriana resopló y se dejó caer sobre una piedra **plana.** Tenía unos pelos **lacios,** sin canas, **estirados** y sujetos en su nuca con una cinta de colores, como las que los indios amarraban en las orejas de las llamas.

■ Respuesta libre.

10 El orden exacto de los textos, tal y como los escribieron sus autores, es el siguiente:

a)

Eso lo decimos todas las mujeres a los veinte años, ¿sabes? Cuando llegas a los veinticinco, añoras lo que te fue indiferente a los veinte; a los treinta empiezas a pensar; a los treinta y cinco ya no piensas, lloras, y a los cuarenta el corazón se te encoge y miras con envidia las parejas de enamorados que pasan bajo tu ventana. Y a los cuarenta y cinco, que son los que yo tengo, te ocultas en la cocina a hacer tartas de manzanas para las sobrinas que no deseas que sigan el mismo ejemplo que tú.

Corín Tellado, *Aquel descubrimiento*. Barcelona, Bruguera, 1971 (texto adaptado).

b)

Bernal vive solo, y algún domingo sale a pescar por los pantanos de los alrededores de Madrid. Un día hace años, Bernal le dijo: "Vente conmigo, ya verás cómo se pasa bien". Y Matías fue. Bernal llevó dos sillitas plegables, montó las cañas y los dos se sentaron a fumar y a mirar el agua y a hablar ocasionalmente de las cosas que veían. Una rana, un pájaro, una nube. Almorzaron allí mismo, y volvieron al atardecer sin haber pescado nada. "¿Qué te ha parecido?", le preguntó Bernal. Y Matías dijo: "Está bien", porque es verdad que le había parecido un modo muy agradable de pasar el domingo.

Luis Landero, *El mágico aprendiz*.
Madrid, Nueva Narrativa, 1999.

11 Le pregunté si deseaba algo, pero el hombre se había quitado de la ventana. Dejé el periódico sobre la mesa y me dirigí a la casa. El hombre había gritado que subiera y eso era lo que deseaba. Comencé a subir la escalera. La estaba subiendo y pensaba en mis cosas. Es lo que un hombre debe hacer siempre: pensar en sus cosas. Y no importa que se trate de cosas absurdas para otros. Si son las cosas de uno, son cosas interesantes. Yo, señor, ya me convencí de que no soy muy listo. Me lo decía mi padre, aunque mi padre era barrendero municipal y a lo mejor no tenía mucha formación para decir aquello. Era lo que decía mi padre todas las mañanas. Hasta que un día fiché por el Real Madrid... y se acabaron todos mis problemas.

12 A las nueve en punto de la mañana del sábado **bajé** al portal. Alejandro me **esperaba,** sentado al volante de su coche y **hojeando** el periódico. **Hacía** una mañana soleada y limpia y no **había** apenas gente por la calle. **Dejó** mi bolsa en el maletero y **encendió** el motor. **Fuimos** a recoger al tío Jorge, que **había pasado** la noche en un hotel que **estaba** acorde con el proceso irreparable de ruina que **preocupaba** a mi madre. En el pequeño y oscuro vestíbulo del hotel, en una bocacalle de la Gran Vía, nos **esperaba** mi tío, sentado en una butaca tapizada de plástico color verde. La chica de la recepción **estaba** hablando con él. Los dos **se reían.** Me **saludó, agarró** su bolsa y **se despidió** de la recepcionista con una inclinación caballerosa de cabeza, deseándole un fin de semana agradable.

El tío Jorge **iba** vestido con ropa de sport, vieja ropa de sport, algo invernal: pantalón de pana, camisa de franela, chaleco de lana gruesa y zapatos de ante. Su fidelidad a los cánones de la moda de su tiempo **era** inquebrantable y me **conmovió.** Me **pregunté** si con ese atuendo y esos modales no **resultaba** una figura un poco ridícula, incluso patética, pero la chica de la recepción lo **había mirado** sin ninguna ironía. Tal vez mi madre **tenía** razón, tal vez **era** todavía un hombre atractivo.

13 **Una posible respuesta es el texto de Carmen Martín Gaite que te presentamos. Están subrayadas las expresiones que indican situación espacial.**

Al balneario se entraba por un paseo de castaños de indias bordeado de hortensias y margaritas, <u>paralelo</u> al río, que quedaba <u>a la izquierda</u>.

<u>A la derecha</u> empezaban las edificaciones que yo había visto desde el puente. Eran altas y planas, pintadas de un blanco rabioso, y todas las ventanas estaban <u>equidistantes</u>, entreabiertas en la misma medida, con una cortinita a medio correr. Estas cortinas no se movían, ni tampoco las contraventanas. Parecían ventanas pintadas o tal vez que no había aire. Eran los edificios varios hoteles, cada uno con su nombre en el tejado. <u>A los lados</u> del paseo y <u>a lo largo</u> de la pared de los hoteles, había muchos sillones de mimbres* con gente sentada. Los rostros de estas personas me parecían vistos mil veces y, sin embargo, uno por uno no los reconocía. Los sillones de mimbre en que se sentaban aquellas personas <u>estaban repartidos</u> –unos buscaban el sol, otros la sombra–. En algunas zonas se acercaban <u>en semicírculo</u> o <u>en corro alrededor</u> de una mesa. <u>Sobre</u> estas mesas había alguna tacita de café, y un señor o una señora revolvían lentísimamente el azúcar con una cucharilla.

Carmen Martín Gaite, "El Balneario". *Cuentos completos.*
Barcelona, Anagrama, 1994 (texto adaptado).

14 Respuesta libre.

* Ramitas flexibles de un arbusto con las que se hacen mesas, sillas y objetos de cestería.

15 a) Es una descripción objetiva.

b) Es una carta familiar, en donde se combinan la narración y la descripción. La persona que escribe la carta informa de los sucesos que ha vivido en una mañana de su estancia en España. A lo largo del relato, intercala la descripción de la cigüeña y del lugar en donde ella reside.

c) Es una noticia aparecida en un periódico local. Se trata de informar a los ciudadanos de lo ocurrido en la ciudad en donde viven. Destaca el tono objetivo de la expresión, aunque se pretende dar un cierto carácter personal al tomar como título de la noticia un verso de Antonio Machado ("Se ha asomado una cigüeña a lo alto de un campanario").

d) Es la descripción de un paisaje urbano, concretamente de un barrio marginal y obrero de Barcelona. Está tratado con cuidado y hasta con cierta ternura ("tiernos colores"). En el texto se presenta una clara oposición: el centro de la ciudad (abajo) y las afueras (arriba). Además, se observa el contraste entre las casas pequeñas y humildes por un lado y, por otro, los edificios más representativos de Barcelona. Esta descripción posee un tono creativo, pues se utilizan imágenes muy expresivas: "enjambre de barracas", "las botellas grises" (torres de la Sagrada Familia).

e) Es una narración, un relato de varias acciones que se realizan de forma lineal en un breve espacio de tiempo. La protagonista parece realizar tareas aprendidas de forma rutinaria mucho tiempo atrás, de ahí que pueda hablarse de un hecho (recoger la cocina), fragmentado en varios episodios, que tienen como núcleo el verbo en pretérito indefinido. Cada acción sigue, como en un ritual, a la otra, hasta el momento en que, cansada, la protagonista parece reflexionar sobre su destino, momento que parece poner fin a la narración lineal de este párrafo.